"그리스도께서 우리로 자유케 하려고 자유를 주셨으니
그러므로 굳세게 서서 다시는 종의 멍에를 메지 말라"

사랑하는 분이 울고 있을 때

발　행 | 2025년 3월 10일
저　자 | 서원혁
펴낸이 | 한건희
펴낸곳 | 주식회사 부크크
출판사등록 | 2014.07.15.(제2014-16호)
주　소 | 서울특별시 금천구 가산디지털1로 119 SK트윈타워 A동 305호
전　화 | 1670-8316
이메일 | info@bookk.co.kr

ISBN | 979-11-419-9718-2

www.bookk.co.kr
ⓒ 서원혁 2025

사랑하는 분이
울고 있을 때

서원혁 지음

차 례

| 여는 말 |

사랑하는 이가
울고 있을 때
우리는 무엇을 해야 할까요?

아무도 모르는 외로움에 갇혀있을 때
모든 것을 이해하시는 분이
내 곁에 잠잠히 다가와 앉으셨어요.

꺼낼 수 없어 가슴에서만 맴도는 울음에
나 대신 눈물이 되어주신
어찌할 수 없는 어둠과 아픔을
나 대신 짊어지신
나를 사랑하는 분이 울고 있을 때
나는 무엇을 해야 할까요?

사랑하는 분과
함께 울고
함께 아파하며
사랑하는 분의 편에
함께 서서
함께 걷기로 했습니다.

사랑하는 분과 함께
맨 앞자리에 서고 싶습니다.
주저하며 뒤서지 않고
그분이 가시는 어디든 따라가고 싶습니다.

사랑하는 분이 혼자 울지 않도록
사랑하는 분께 드릴 나의 노래, 나의 위로
날 사랑하시는 분께 드릴
'충성'과 '사랑'의 마음을
투박하게, 날 것 그대로 담았습니다.

마지막 날, 마지막 순간
그분이 모든 이들의 눈에서 눈물을 닦으실 때
우리도 여전히 그분 곁에 있어서
사랑하는 분의 모든 눈물을 닦아 드리기 원합니다.

더 이상은 눈물이 없는 그곳에서
사랑하는 분과 즐거이 노래하며 춤출 때까지
이 시를 읽는 모든 분들과 함께
끝까지 사랑의 행진을 하고 싶습니다.

이름도 모르는 당신을 사랑합니다.

사랑하는 분이 울고 있습니다

사랑과 사명은
분리되지 않습니다

사랑하는 분이
울고 있을 때
사랑 안에 거하니 행복하다며
웃는 일은 이상합니다

사랑하는 분이
무너지고 빼앗긴 것을 두고
울고 있을 때
사랑 안에 거하니 편안하다며
웃는 일은 이상합니다

사랑하는 분이
잃어버린 자녀를 두고
울고 있을 때
사랑 안에 거하니 풍성하게 누린다며
웃는 일은 이상합니다

사랑하는 분이
누가 나와 함께 가겠느냐고
울부짖을 때
사랑 안에 거하니 즐겁다며
응답하지 않는 일은 이상합니다

사랑하는 분이
누가 나의 편에 서겠느냐고
군사들을 모집하실 때
사랑 안에 거하니 자유하다며
무장하지 않는 일은 이상합니다

사랑하는 분이
자녀의 부르짖음을 듣고 일어납니다
아무도 막을 수 없는 그분이 일어섭니다

사랑 안에 거하는 자는
그분의 부르심에 응답합니다
사랑하는 분의 손을 잡고
함께 일어섭니다

사랑하는 분과 함께 울고
사랑하는 분과 함께 웃습니다

사랑하는 분이 가면 함께 가고
사랑하는 분이 멈추면 함께 멈춥니다
사랑하는 분과 함께 합니다
분연히 일어섭니다
달려갑니다

사랑하는 분과 함께
맨 앞자리에 섭니다

사랑과 사명은
분리되지 않습니다

최선봉에

당신은 언제나
우리 앞서 계십니다

당신 앞에 설 사람은
아무도 없습니다

그러나 보내시려거든
나를 당신과 함께
최선봉에 서게 하옵소서

최선봉에 서는 유일한 길
당신이 앉으실 순결한 말이 되는 길
모는 대로 휘달리는
길들여진 말

최선봉에 서 계신
당신과 함께 하는 길
최선봉에 서게 하옵소서

가시밭길

한참을 들여다보고 있었습니다

오라고 손짓하시는 곳을
한참이나 들여다보고 있었습니다

이 길이 맞는지
묻고 또 물으며
한참이나 들여다보고 있었습니다

너무 향기로워서
너무 밝게 빛나서
활짝 웃어 보였더니
역시나 당신이 계셨습니다

가시밭길
좁다란 길
당신과 함께 걷는 길
꽃길

직면

무과화 나무 아래 있는
나다나엘을 보십니다

나다나엘도
하나님을 직면합니다

수일 동안 당신의 뜻에 관한 책을 읽으며
내가 책 속에서 당신을 보고 있음을
당신이 알고 있다는 것을 알았습니다

움직일 수 없게
그 책을 놓을 수 없게
당신의 뜻을 나에게 전하고 있음을 알았습니다
당신을 직면하고 있다는 것을 알아차렸습니다

사로잡는 꽉 찬 압도감
내가 당신을 향해 서있다는 것을
당신이 지켜보고 있다는 사실에 놀라
움직일 수 없었습니다

부르짖음

하나님은 들으신다
부르짖음을 들으신다

하나님의 마음에 들어가
함께 우는 울부짖음을 들으신다

하나님의 편에 서서
목숨을 바쳐 싸우는
전사의 처절한 몸부림과 함께 하신다

역사의 수레바퀴는
자녀의 부르짖음에 응답하시는
하나님의 포효에 달렸다

너는
내게
부르짖으라

느헤미야의 눈물

느헤미야가 웁니다
아닥사스다 왕의 술 관원
느헤미야가 웁니다

예루살렘 성은 허물어지고
성문은 불에 탔습니다
환난과 능욕
유린당하는 동족의
울부짖는 소리에
수일 동안 주저앉아 슬피 웁니다

느헤미야가 웁니다
느헤미야의 눈물에 길을 여십니다
들보로 쓸 재목(材木)을 갖고
하나님의 위로가 옵니다

산발랏과 도비야가
분내며 조롱하며 훼방합니다
달려들어 살육하고자 합니다

무너진 성벽을 재건합니다

절반은 일하고
절반은 갑옷을 입고
창과 방패와 활을 듭니다

건축하는 자는 한 손으로 일하며
한 손에는 병기를 잡습니다
동틀 때부터 별이 나기까지 창을 잡으며
밤에도 옷을 벗지 않습니다

기적의 52일
무너진 성벽이 재건되고
성문을 달았습니다

오늘의 느헤미야가 웁니다
성이 무너진 것을 보고 슬피 웁니다
한 손으로 일하며
한 손에는 병기를 잡습니다
기적의 52일을 믿으며
동틀 때부터 별이 나기까지
창을 잡고 파수하며 일합니다

하나님의 위로를 갖고
오늘의 느헤미야가 옵니다

왕 같은 제사장

예수님이 십자가에서 죽으시던 순간
성소의 휘장 한 가운데가 찢어졌습니다
새롭고 산 길이 열렸습니다

누구든지 어린 양의 피를 들고
하나님께 나갈 수 있게 되었습니다

백성을 통치하는 왕
하나님께로 이끄는 제사장
왕 같은 제사장이 되었습니다

예수님이 입혀주신
아름답고 멋진 에봇
반짝이고 값비싼 보석 박혀 있는
왕 같은 제사장의 옷
아무 의미 모르고
그저 옷 입었습니다

왕 같은 제사장의 옷
에봇의 두 어깨에는
이스라엘 열두 지파의 이름을 새긴

호마노 보석 두 개를 붙입니다

에봇의 가슴에는 흉패를
이스라엘 열두 지파의 이름을 새긴
아름다운 보석 열두 개를 붙입니다

그 보석들은
모두 하나님의 사랑입니다
모두 하나님의 자녀입니다
자기 생명과 맞바꾸신 것입니다

왕 같은 제사장
그의 어깨에는
하나님의 나라와 민족에 대한 책임이
그의 가슴에는
하나님의 나라와 민족에 대한 사랑이
새겨져 있는 것입니다

어린양의 피로 거룩해진
왕 같은 제사장들이
이제 옷을 입습니다
반짝이는 보석의 의미를 알고
진정 옷을 입습니다

평범함을 비범하게

모압의 압제로부터
이스라엘을 구한
'오른손의 아들' 베냐민 지파의
'왼손잡이' 에훗

가나안 왕 야빈에게서
민족을 구출한
평범한 가정주부 드보라

고작, 소 모는 막대기로
이스라엘을 구한 삼갈

평범함을 비범하게 쓰시는
위대한 하나님
그분께 쓰임 받는다는 기쁨

특별한 조건이나 능력 아닌
하나님 나라를 위한 용기
하나님 백성을 위한 사랑
목숨을 걸고 전장(戰場)으로 나가는 용사(勇士)

사울의 때에 준비된 다윗

검붉은 어둠이 하늘을 덮습니다
별빛도 보이지 않는 까만 어둠입니다

습습한 이불 같은 것이
온 세상을 덮어 가슴이 먹먹합니다

양치는 목동이 하늘을 올려다 봅니다
어둠은 가릴 수 없는 쏟아지는 별빛을 바라봅니다

모두가 숨죽이며 숨을 때
떨치고 일어나는 한 소년이 있습니다

진리를 외쳐야 할 때 침묵하는 것은
거짓을 받아들이는 것과 같아요

거센 바람이 불어올 때 날개를 움츠려서는
높푸른 하늘을 날 수 없습니다

사울의 때에 다윗이 준비됩니다

하나님의 이름 되찾기

여호와는 나의 사랑이시오
나의 □□이시오
나의 □□이시오
나를 □□□□ 이시오
나의 □□이시니

시편 144편 2절
슥삭슥삭
누군가 이름을 지웠어요
하나님의 이름을 잃어버렸어요
하나님의 이름을 찾아야 해요

싸우지 않고
지키지 않고
위협도 받지 않고
공격도 받지 않으니

나의 요새
나의 산성
나의 방패가 되어
나를 건지시는 하나님을 경험할 수 없어요

사랑의 이름만 겨우 남았어요
하나님의 이름을 되찾아야 해요

진리로 싸우고
사랑으로 지키고
복음과 함께 고난받고
믿음으로 인내하며
하나님의 이름 되찾기

다시 쓰는
시편 144편 2절
여호와는 나의 사랑이시오
나의 요새이시오
나의 산성이시오
나를 건지시는 이시오
나의 방패이시니

하나님의 이름 되찾기

고생을 팔아 주세요

고생을 사려 합니다
희소가치가 높아
제때 정품을 구할 수 있을지
자신은 없습니다

진심을 담아
고생을 사려 합니다
판매처가 보이질 않아
우선 찾도록 찾아보려 합니다

"고생을 팔아 주세요"
광고라도 해보려 합니다

가진 것이 적어
값비싼 고생을
제때 살 수 있을지 모르지만
주인께 공급을 요청하려 합니다

살리는 고생
세우는 고생
지키는 고생

준비되는 고생
고생을 잘 사서 뜻있게 써보려 합니다

사랑으로, 사랑 안에서

하나님이 물으셨습니다
사랑을 벗어나 살 수 있겠느냐고
다시 그럴 수는 없을 것 같다고 말씀드렸습니다

하나님이 또 물으셨습니다
사랑 아닌 것을 선택할 수 있겠느냐고
마음에 허용할 수 없게 된 일이라고 말씀드렸습니다

하나님이 다시 물으셨습니다
사랑 외에 다른 이유로 살 수 있겠느냐고
마음에 부딪혀 그럴 수 없게 되었다고 말씀드렸습니다

성 안에서 지휘관의 호령 소리와
나팔소리가 들립니다

하나님이 물으셨습니다
싸우지 않고 주저앉아 있겠느냐고
마음이 불타는 것 같아 벌떡 일어섰다고 말씀드렸습니다

하나님이 또 물으셨습니다
침묵하고 잠잠히 있겠느냐고

제 입에서 악을 제하여 주시고

기름을 부으신다면

외치도록 외치겠다고 말씀드렸습니다

하나님이 다시 물으셨습니다

너는 무엇으로 싸우려냐고

사랑으로

오직 사랑으로

사랑 안에서

오직 사랑 안에서

싸우겠다고 말씀드렸습니다

하나님은 하나님이십니다

한 무리의 사람들이 외칩니다
금지하는 모든 것을 금지하자고 합니다
금지하는 모든 것을 금지하면
그 금지도 금지돼요
반성이 금지된 난센스
이성이 금지된 모순

몰라서 하는 말은 무지의 위협
알면서 하는 것은 지독한 거짓말
지독한 위선
지독한 증오

칼끝을 하늘에 겨누는
한 무리의 사람들이 있습니다
하나님은 하나님이십니다
하나님은 인간이 하는 일에
걱정하시거나 두려워하시는 법이 없습니다
하나님이 웃으십니다
하나님은 크고 두려우신 분이십니다

한 무리의 사람들이 외칩니다

진리를 부정함으로써 진리를 파괴하자고 합니다
진리를 부정함으로써 파괴되는 건
진리가 아니라
진리를 부정하는 인간입니다
기어이 모든 걸 폐허로 만들고
결국 멸망한 사람 위에
여전히 진리는 진리로 남아있습니다

진리를 탄압하고 잔해하여
모든 걸 폐허로 만든 뒤
여전히 남아있는 진리를 보며
진리를 깨닫는 일은 어처구니없습니다

진리는 여전히 진리입니다
진리 앞에 굴복함으로
진리를 사랑함으로
진리와 함께 사는 자가
진정 지혜롭습니다

하나님은 하나님이십니다

입소 첫날의 일기

오늘은 첫날
한성감옥에 들어왔습니다
하나님께서 초대해 주셔서 들어왔습니다
제 발로 찾아 들어왔기에 억울하지는 않습니다

진드기, 벼룩 등 온갖 벌레들로 가득하다고 들었는데
제가 있는 곳은 그런 것 없이 깔끔합니다
밤에는 고문을 받으러 가고
목에는 칼을, 쇠고랑과 족쇄를 차야 한다고 들었는데
제 삶은 아직 윤택합니다

다만 외부와 차단된 느낌은 가득합니다
시대가 흉흉할 때
이것저것 많은 것을 하고
허겁지겁 뛰어다닐 수도 있었을 텐데
할아버지는 외부와 차단된 채
하나님께 지도 받았다고 했어요

책을 펴면 외부와 차단된 느낌이 듭니다
감옥 안에 들어왔기에 이제는 책을 읽어야 합니다
이제는 글을 써야 합니다

책을 펴면서 첫 기도를 드렸습니다
읽어야 할 책이 많은데
400쪽 정도는 1시간 안에 읽을 수 있도록
읽을 뿐만 아니라
이해하고 기억하고 정리할 수 있게 도와주세요

밤늦게 읽고 아침 일찍 읽으며
조금 외로운 감정이 들어왔습니다
적막 속에도, 새벽 공기 속에도
하나님이 나와 함께 계신다 하셨어요

책을 읽는데 숨이 찹니다
"아! 성령님이 계시지!"
성령님이 계시면 저는 최고의 학생이 되겠어요
성령님이 지도해 주시면 최고의 지혜를 얻겠어요
"성령님! 저를 지도해 주세요!"

무엇이 되지 못해도 상관없습니다
무엇을 이루지 못해도 상관없습니다
아무도 알아주지 않아도 괜찮습니다
오직 하나님의 기쁨이 되고 싶습니다
잘 준비되고 싶습니다

잘 죽기 위해

잘 준비되기 원합니다

간절히 의뢰합니다

지도해 주세요

치명적인 아기 울음소리

"아빠, 빨리 와" 하는 딸 아기 목소리
"선생님" 하고 부르는 꼬물거리는 아기 목소리

아기 울음소리는
무서워
치명적이야

고개를 돌리게 만들어
뒤를 돌아보게 만들어
순식간에

깜짝 놀라게 만들어
내가 너무 좋아했던 것이라
미련을 만들어

아기가 아프면
아기가 위험하면
깜짝 놀라 소리치게 돼

눈가리개를 씌워
경주마에게는 눈가리개를 씌워

다 맡기고 푯대를 향해 달려

눈가리개를 씌워

요청합니다

하나님이 주신
흰 도화지를 앞에 두고
한참을 고민하다
설계도를 요청합니다

구하는 무엇이든 주시겠다 하신
백지수표를 앞에 놓고
뭐라 적을까
한참을 고민하다
실체를 보여주시길 적어봅니다

성막을 지어야겠는데
방주를 지어야겠는데
지시하심을 받아야 하겠기에
하늘에 있는 설계도를 요청합니다

모세가 장막을 지으려 할 때
지시하심을 받은 것처럼
모세에게 보여주셨던 본을
제게도 보여주시길 요청합니다

노아가 방주를 지을 때
잣나무와 역청을 사용하라 하시고
세세한 규격까지 말씀해 주신 것처럼
제게도 지시해 주시길 요청합니다

저희가 섬기는 것은
하늘에 있는 것의 모형과 그림자라
하늘에 있는 것의 설계도를 요청드립니다

오늘 밖에는

소풍이야
보물 찾기도 하고
재미있는 놀이도 한대

기다렸던 소풍
하루 전 날이야
맛있는 것도 준비하고
어떤 옷을 입을지도
미리 생각해 봐

꿈꾸던 소풍 날 하루 전
두근두근
설레는 마음
가득 번지는 행복
숨길 수 없어

소풍 날 하루 전에는
떨리고 흥분돼서
잠도 잘 오지 않아

내일은 소풍이야
소풍 준비는
하루 지나면
소용이 없어
오늘 밖에는 못해

내일은 소풍 날
내일 준비하려면
너무 늦어

주님 만나는 날
소풍이야
오늘 지나고 나면
소용이 없어
하루 밖에는 못해

오늘 하루 밖에는

부활(復活)

끝난 줄 알았겠지
다 이긴 줄 알았겠지

모든 물과 피 다 쏟았고
모든 뼈는 어그러졌으니
끝난 줄 알았겠지

심장 고동 소리 그치고
가쁜 호흡도 멈췄으니
다 이긴 줄 알았겠지

캄캄한 무덤에 가둬두고
큰 돌 굴려 막아놓았으니
이젠 끝난 줄 알았겠지

돌은 인봉하고
경비병이 지키고 있으니
이젠 다 이긴 줄 알았겠지

그렇게
하루, 이틀, 사흘

봉인은 해제되고
경비병은 혼비백산

이제 시작이라는 걸 깨닫지
무장해제된 걸 깨닫지
사망이 생명에게 삼켜지고
영원히 패배한 걸 깨닫지

넘치는 기쁨으로

옳고 그름 속에
헤맬 때는
기쁨이 사라져요

힘에 부치는 일에
의미를 찾으려 할 때는
감사가 사라져요

내가 누구를 섬기고 있는지
잊을 때는
사랑이 식어요

넘치는 기쁨으로
일할게요

넘치는 감사로
일할게요

넘치는 사랑으로
일할게요

무엇을 하든지

오직 나는

나의 주 그리스도를 섬겨요

퍼즐이 완성될 때

우리가 하는 일이
어떻게 연결되는지
전혀 알 수 없네요

우리가 하는 일이
무엇을 이루게 될지도
전혀 모르겠어요

그래서 꿈을 꿔요
그래서 기도해요

퍼즐이 완성될 때
발견되는 그림
우리를 통해서 그리신 그림
우리를 통해서 맞추신 퍼즐
오직 예수님

오직 예수님
한 분만 보이길
그렇게 꿈을 꿔요
그렇게 기도해요

의지하여 가야 해요

무언가를 향해 가요
오라 손짓하셔서 어디론가 가고는 있어요

구불구불 조금 열린 좁은 길 위로
천천히 가고는 있어요

앞에 무언가 있는데
볼 수는 없게 가려져 있어요

누군가 유리창을 까맣게 칠해놓아
앞을 볼 수 없어 답답한 마음이에요

시원하게 달리고 싶은데
좌우 옆을 보며 살펴살펴 가고 있어요

이 길이 맞는지
묻고 또 물으며
마음을 정하고 또 정하며
힘겹게 가고 있어요

한참을 가다 보니
깨닫게 돼요

다 보여주면 의지하지 않고 가겠죠
달리고 싶은 대로 달리겠죠

물어물어 가야 해요
의지하여 가야 해요
허락받지 않고서는 갈 수 없어요
지도받지 않고서는 갈 수 없어요

보이지 않는 길을 걸어가는 것이
은혜임을
이제는 깨달아요

아! 성령님!

제가 무엇을 하려 하는지
잘 모르겠다고 여쭤보았어요

내 마음 살피시는 분이
기다렸다는 듯이 말씀하셨어요

"네가 지금 하려는 것은
네가 할 수 없는 것을
하려는 거야"

도무지 이해가 되지 않아
다시 여쭤보았어요

제가 지금 하려는 것이
제가 할 수 없는 것을
하려는 것이라면
어떻게 제가 그 일을 할 수 있나요?

어서 맞춰보라는 듯
잠잠히 계신 그분 앞에서
띵똥 하고 불이 켜졌어요.

46

아! 성령님!

제 마음은요

아무리 생각해도
오물을 뒤집어쓰려는 것 같아요

이해되지도 않고
굳이 이해하고 싶지도 않아요

그럴 때마다
가슴이 툭하고 멈춰요
열심히는 하지만
뜨거운 마음이 사그라들어요
가고 싶지 않고
자꾸만 주저하게 돼요

다만, 제 마음은요

당신이 원하신다면
당신의 뜻이라면
오물을 뒤집어쓸 뿐 아니라
그 속으로 들어가
기꺼이 헤엄칠 거예요

아내를 사랑하는 것은 쉽습니다

아내를 사랑하는 것은 쉽습니다
그녀는 너무 아름답고 사랑스럽기 때문입니다

아내를 사랑하는 것은 쉽습니다
그녀는 눈부시기 때문입니다

아내를 사랑하지 않는 것은 불가능합니다
아내를 사랑하지 말라는 것은 너무 어렵습니다

장인어른되신 하나님 아버지께서
결혼 전 내게 직접 주신 말씀

"그는 사랑스러운 암사슴 같고
아름다운 암노루 같으니
너는 그의 품을 항상 족하게 여기며
그의 사랑을 항상 연모하라"

아내를 사랑하는 것은 쉽습니다
가장 아름다운 것을 사랑하는 일은 너무나 쉽습니다

소망

메말라 갈라진 강바닥을 바라보며
물고기는 어떻게 숨 쉴 수 있을까
휘돌아쳐 힘 있게 흘러가는 물줄기
다시 볼 수 있을까 생각했어요

가도 가도 바싹 마른 모래바람뿐
사막 한가운데 걸어가며
풀잎 향기, 꽃향기 흐드러진 물 댄 동산
만날 수 있을까 생각했어요

바위를 치면 물이 흐를까요
지팡이를 내려치면 바다가 갈라질까요

어둠이 삼켜버린 질식 같은 하늘 올려다보며
쏟아지는 별빛, 은하수 흐르는 모습
다시 볼 수 있을까 그리워했어요

할퀴고 쓸어가는 매서운 폭풍우 앞에서
고요하고 잔잔한 햇살 받으며

아! 되는 거구나!

의와 평강이 강같이 흐르고
사랑의 꽃향기가 온 대지를 덮고
어둠은 흔적도 찾을 수 없는
빛으로 가득한
다시는 죽음이 없고 생명으로 가득한
다시는 눈물이 없고 환희로 가득한
마른 뼈가 살아나고
죽은 나무에서 새싹이 돋는
소망
참 소망이 있구나!

하나님
참 하나님이 계시는구나!

스포 예찬

재미있습니다
흥미진진합니다

사람들은 스포일러를 싫어한다는데
저는 참으로 좋습니다

어떻게 되어가는지 결말을 알고 가는 건
힘겨운 길을 걸어갈 때 참 좋습니다

자꾸자꾸 스포 해주세요
가물가물 알 듯 모를 듯 할 때
계속 스포 해주세요

알고 있지만
거대한 스크린에 압도되어
가슴이 이만큼 짓눌릴 때
스포해 주신 것이 도움이 돼요

주인공이든 조연이든
사건이든 갈등이든 결말이든
스포는 아름답습니다

최후의 스포를 사랑합니다
마귀는 불못에
승리는 하나님의 것입니다
하나님 편에 선 우리 것입니다

아주 재미있습니다
아주 흥미진진합니다

결말은 주어졌지만
스토리 한가운데 있는 우리는
아직 미완성입니다
스포 되지 않았습니다

그래서 재미있습니다
더욱 흥미진진합니다
스릴이 넘칩니다

예수님께 꼭 붙어 있을랍니다
가장 위대하신 분 위에 서지 않을랍니다
가장 두려우신 분 반대편에 서지 않을랍니다
모든 왕들의 왕께만 경배하렵니다
만군의 주께만 복종하렵니다

마지막 순간

생각해 봤어요

원수가 사방으로 둘러싸서
더 이상은 피할 곳도 숨을 곳도 없을 때
뒤로 물러날 수도 앞으로 나갈 수도 없을 때
창끝이 목에 겨누어지고 칼끝이 심장에 드리워졌을 때
고삐 풀린 공포와 절망만이 허연 이를 드러내고 있을 때
비난과 조롱과 증오와 연민만이 용솟음칠 때
내 거친 숨소리와 터질듯한 심장소리만 귓가에 가득해질 때

아주 찰나의 순간
박하게 허용된 몇 번의 호흡이 내게 주어졌을 때
나는 무엇을 할까 생각해 봤어요

찬양!
나는 찬양을 하고 싶습니다
나는 진정 찬양을 드리고 싶습니다

모든 것을 내려놓고
나의 찬양을 받으셔야 마땅한 분께
환하게 웃으며 찬양을 드리고 싶습니다

우렁차게 감미롭게
나의 사랑의 노래를 올려드리고 싶습니다

당신과 눈을 마주치며
당신을 영화롭게 하는 찬양을 올려드리고 싶습니다.

마지막 순간에
모두가 알기를
내 모든 것이 당신의 것임을
모두가 알 수 있기를

그렇게 나의 찬양 중에 임하소서

허세, 권세 그리고 만세

어릴 때부터
허세 부리는 남자는
싫었어요

진실하고 담백하고 깊은 사랑으로
묵묵히 자리를 지키는 여인을
극히 사랑했어요

시간이 흐르고
진주가 태어났어요
저도 별 수 없는 남자인 가봐요

다른 사람 몰래
딸들에게는 허세를 좀 부려요

나는 사자다! "어흥~"
나는 공룡이다! "우아악~"
나는 헐크다! "쿵쾅 쿵쾅~"

별수 없이 허세에요
나는 사자가 아닌 걸 알아요

공룡도, 헐크도 아닌 걸요

어느 날 어깨가 쫙 펴졌어요
따스한 손이 어깨를 감싸 쥐고 잡아당겼어요
떨궈진 고개가 하늘로 쳐들려 올라갔어요

허세가 아니라 권세였어요
땅을 밟고 서있는 교회였어요
아무도 무너뜨릴 수 없는 전능자의 몸,
포효하는 사자였어요

창조주 하나님의 자녀 된 권세
이제 당당하게 진리를 외쳐요
더 이상 쭈뼛거림은 없어요

나는 혼자가 아니에요
허세가 권세로
권세가 만세가 되었어요
세세토록 만세 만만세예요

선생님을 울리지 말아 주세요

하나, 둘
선생님이 사라져요
선생님을 울리지 말아 주세요

선생님은 원래 우는 사람이에요
아이들을 가슴에 품고 우는 사람이에요
그러니 더는 선생님을 울리지 말아 주세요

선생님이 아이들을 위해 울 수 있도록
선생님을 울리지 말아 주세요

선생님을 울리면
자기를 위해 우느라 아이들을 위해 울지 못해요
그러니 선생님을 울리지 말아 주세요

하나, 둘
선생님이 떠나요
힘겹게 자리 지키고 있는 선생님도
마음으로는 자꾸자꾸 이만큼 떠나가요
선생님을 울리지 말아 주세요

가르치는 일은
아이를 이만큼 성장시키는 일은
이론이나 정책이 아니에요

밤새 외로워 유튜브 보느라
정신 못 차리고 자는 아이
목 아플까 수건 말아 배게 해주며
기다려주는 마음속에 있어요

점심은 먹는 둥 마는 둥
함께 손잡고 산책하며
작은 꽃들의 변화 보여주며
대화하는 그 마음속에 있어요
너도 이 꽃처럼 필 거라는 사랑의 소망으로
동행하는 그 발걸음 속에 있어요

선생님의 질문에 아무 말 않던 아이가
참새처럼 더 많이 재잘거릴 때까지
아이가 꽃에 물을 주며 말을 걸며
하루하루 키 커지는 꽃들의 작은 변화에 눈뜰 때까지
기도하며 울며 가슴으로 품고 키우는
선생님의 눈물 속에만 있어요

가르치는 일은
철저히 선생님의 가슴에서 시작해서
가슴으로 끝나는 일이에요

이 사랑의 마음을 더는 빼앗지 말아 주세요
이제 더는 선생님을 울리지 말아 주세요

아이들을 꽃피우려는 선생님의 눈물
피어나는 아이들 보며
환한 웃음으로
더 환하게 꽃피우도록
이제 더는 선생님을 울리지 말아 주세요

내가 앉을 자리

전학을 왔어요
새로운 교실
새로운 친구
새로운 선생님
어디서부터
어떻게
무얼 해야 할지 몰라서
멈칫거렸어요
어색해서
가만히 서있었어요

선생님이 웃으며 다가오셨어요
네가 앉을 자리는 여기라고
친절히 안내해 주셨어요

내가 앉을 자리가 있다는 것이
감사했어요
'휴우~'하고 마음에 안도감이 들었어요.

섬기는 자라
의자에 적혀 있었어요

마음에 평안이 찾아왔어요
내가 앉을 자리
내가 있을 위치가
내게 참 적절하니
마음이 편안해졌어요

하나님은 부지런하시다

꿈을 품었습니다
바싹 마른 가지에서 푸른 잎 하나가 돋아났기 때문이었습니다
어디에서 이런 게 왔을까
처음 본 것이기에 신기했습니다

당신의 마음을 품었습니다
서툴고 여린 꽃잎 하나가 피어났기 때문이었습니다
세상에 저만 꽃피우듯 조심조심 소중히 다뤘습니다

꽃이 지고 열매가 맺혔습니다
열매가 떨어진지 한참이나 지났지만
새로운 소식은 들리지 않았습니다
나무처럼 그저 팔 벌리고 묵묵히 햇살 받으며 서 있었습니다

거칠고 거친 흙을 열어젖히며 여린 생명이 올라왔습니다
딱딱한 열매 껍데기 속에 숨어있던 새싹이 너무 신기했습니다
나무보다 더 크고 위대해 보였습니다

비바람 맞고 햇살도 받으니 잎이 무성해졌습니다
바싹 말라 불붙기 전까지 따닥 따닥하던 내게는
너무 신기한 일이었습니다

그늘도 드리우고, 푸른 잎사귀들 사이에 새들도 깃들었습니다
간조한 땅이 금세 푸른 꽃밭이 될 것만 같았습니다

기다림이 길어지고 길어질 때
약속이 잊혀진 것처럼 기다림이 오래된 것 같다고 느껴졌을 때
바람처럼 살랑이는 당신의 음성이 도착했습니다

네가 믿은 것
네가 꿈꾸는 것
너에게 흘려보낸 나의 마음
너에게 번지게 한 나의 꿈
그걸 이루어 주려는 거야

더뎌 보여도
너의 발걸음이 더딘 것 같이
더뎌 보여도
네가 나와 함께 꾼 꿈
나와 일치된 마음을 원한다며
구한 그 기도를 응답해 주려는 거야

하나님은 부지런하시다
하나님은 성실하시다
하나님은 포기하지 않으신다

너도 놓치지 말아
나와 함께 시작한 그 꿈을
끝까지 놓치지 말아

더욱 굳건히
뿌리를 박고
사랑 가운데
믿음으로
조금도 흔들리지 말아

푸르게 푸르게
나와 함께 한 꿈이
온 우주를 푸르게 덮을 때까지

대신

탁탁 타다닥
타다닥 탁탁
타이핑 소리
의문 없는 취조실
'대신'

믿을 수 없는
사건 보고서
어그러진
검사의 기소문
있을 수 없는
판결문
'대신'

완벽한 유죄
죄인을 증인 삼은
이해할 수 없는 법정
'대신'

참되신 재판관이
사형수와 자리를 바꿔 앉는

눈물의 법
'대신'

쏟아지는 분노
퍼붓는 저주
맹렬한 심판
영원한 유기
허겁지겁 달려온 아버지의 사랑
'대신'

가을 햇살

햇살이 부서집니다
찬란히 부서집니다
가을입니다

아름다워
자꾸만 자꾸만
멈춰 서서 바라봅니다

눈부신 가을 햇살의 절정은
너무 짧아 놓치기 쉽습니다

책을 읽습니다
생각이 파도 치고
불꽃처럼 타올랐다가
날선 검이 되었다가
폭발하듯 터져버립니다

책을 읽습니다
기도를 합니다
미치지 않게 도와주세요
다만 미치게 해주세요

십자가는 늘 내 앞에 있습니다
십자가는 너무나 커서 눈을 감아도
늘 분명하게 내 앞에 있습니다

어디로 가도
어떤 상태에서도
십자가로 가득합니다
당신은 사랑입니다
맞습니다 당신은 사랑이십니다
당신은 정말로 나를 사랑하십니다

해산의 고통을 모르지만
꼭 그 말 외에는 표현할 길이 없습니다
십자가 해산의 고통으로
우리를 낳으셨습니다

십자가는 늘 내 앞에 있습니다
십자가는 너무나 강력해서
어떤 것도 그 안에 들어올 수 없습니다
그 사랑이 나를 미치게 합니다
미치지 않고서는 살 수 없게 합니다

책을 읽습니다
기도를 합니다
미치지 않고
다만 미치게 해주세요

찬란한 가을 햇살이
당신의 영광을 노래합니다
너무 아름다워 꿈꾸게 됩니다
당신의 영광으로 가득한 그곳
당신의 영광으로 가득할 그날
영원한 가을 햇살 같은 그곳을 바라봅니다

십자가는 너무나 커서
아무리 달음박질해도
아무리 날갯짓해도
그곳은 여전히 십자가 안일뿐입니다

십자가는 너무나 강력해서
나를 부수고 새롭게 짓습니다
나를 사로잡고 당신이 소유합니다

당신만 있으면 충분합니다
당신이 없인 살 수 없습니다

절대 미치지 않고

오직 미치게 해주세요

지팡이

딩동~
탁월함을 구하는 첫 기도에
첫 응답이 도착했습니다

딸각~
문을 열고 나가 보니
지팡이 한 개가
놓여 있었습니다

야곱은 요셉의 각 아들에게 축복하고
그 지팡이 머리에 의지하여
하나님을 경배했습니다

하나님은 모세에게
지팡이를 들고 손을 바다 위로 내밀어
바다를 갈라지게 하라고 하셨어요

뱀이 된 아론의 지팡이는
뱀이 된 애굽 술객들의 지팡이를
모두 삼켜버렸습니다

하나님은 그런 분이셨습니다
지팡이는 휘두르는 것이 아니라
의지하는 것이었습니다
지팡이는 획득하는 것이 아니라
부어지는 것이었습니다
지팡이는 청종하고
또 복종하는 것이었습니다

인간의 역사와 사상에 대한 책을 읽다가
그만 탄식이 터져 나왔어요
인간이 지금 무엇을 하고 있는 것인지
우리가 지금 무엇을 하려는 것인지
어처구니가 없어 탄식이 터져 나왔어요
'이거 참 큰일 났다!' 기도드렸어요

인간의 모든 생각이 우둔하고 어두워져
하나님을 멸시하고 비웃고 대적하며
멸망의 길로 취한 듯 춤추며 달려가고 있는 모습이란
너무 어처구니가 없어 마음이 아팠어요

탁월함을 구한 첫 기도에
하나님께서는 지팡이를 보내주셨어요

온 우주가 하나님을 사랑하는
찬양의 소리로 가득해질 거예요
하나님은 그런 분이세요

지팡이를 들 때
홍해는 갈라집니다
세상의 모든 뱀들은 삼켜집니다
하나님은 그런 분이십니다

탁월함의 지팡이는
세상이 막을 수 없습니다
어둠은 허물어지게 되어 있습니다

지팡이는 추구하는 것이 아니라
사로잡히는 것이었습니다
신랑을 사랑하고 가슴에 품고
높이 드는 것이었습니다

탁월함을 요청드렸을 때
하나님은 지팡이를 보내주셨습니다

절뚝이며 걷더라도
당신만을 의지하렵니다

나의 탁월함

당신만을 사랑하렵니다

안전 감옥 is 안전 가옥

다정한 친구처럼 다가와
물으셨습니다

"감옥 생활은 좀 어떠니?"

안전하고 만족스럽다고
말씀드렸어요
사치스러울 정도로요

크고 작은 일들이 지나가도
마음을 쏟았던 일들이 바로 어제여도
기억이 잘 나지 않아요

다시 또다시 준비되어야 하기에
책을 펼치고 다시 또다시 기도해요

다가올 일들과
걸어가야 할 길이 있기에
고요히 몰입할 수 있도록
감옥은 모든 걸 막아줘요

죄 없이 들어온 감옥이니
너무 걱정은 말아주세요

위치를 옮기시니
마음도 슬며시 옮겨져 있어요

이제 보니
안전 감옥이 안전 가옥이었네요

이 감옥을 나설 때는
잘 준비되었으면 해요

하나님의 에이전트로
불덩어리가 되어 있길 원해요

예수님, 우리 집 소파에 좌정해 주세요

아내가 웃어요
간증 제목을 보더니
왜 하필 소파냐고
푸훗 하게 웃었어요

저도 잘 모르겠어요
그냥 그렇게 기도가 나왔어요

우리 집 소파는 넓어요
온 가족이 모여 눕고 앉아
행복하게 웃고 놀아요

예수님도 우리 집 소파에
함께 앉아 계시면
분명 행복하다 하실 거예요

때론 깔깔깔 웃으실 수도 있어요
맛난 음식도 옹기종기 모여 앉아 먹어요

예수님, 우리 집 소파에 좌정해 주세요

방안에만 계시다간
식구들의 사정을 잘 모르실 수도 있으니깐요

우리 집 소파에 좌정하시면
속속들이 모든 걸 다 아실 테니
제 마음이 든든할 것 같아요

자꾸만 뒤돌아 보게 돼요
예수님이 하얀 소파에
아이처럼 담겨
행복하게 웃는 모습이 보여요

늘 소파에 앉아계신
예수님을 알아차릴게요
예수님께 여쭙고
예수님이 하시도록 뒤따라갈게요

예수님, 우리 집 소파에 좌정해 주세요

그렇지, 그렇겠지

붙들려 해도
붙들어지지 않았겠지

네가 시작한 거라 생각하면
그렇겠지

네가 하고 있는 거라 믿으면
그렇겠지

잡으려 해도
잡아지지 않겠지

네가 아니라
내가 시작한 거라면

네가 아니라
내가 하고 있는 거라면

네가 아니라
내가 이끌고 있는 거라면
그렇지, 그렇겠지

흔들리지 않겠지
두렵지 않겠지

내가 앞서가고
넌 뒤따르는 거라면
주저하지 않겠지
멈춰 서지 않겠지

내가 너의 손을 잡고
함께 걷는다면
넌 안전하겠지
안심하겠지
그렇지, 그렇겠지

아무렇지 않게 넌 말하겠지
여기까지 어찌 왔냐 누가 물으면
그분 손잡고 뚤레뚤레 걷다 보니
룰루랄라 흥얼거리다 보니
여기까지 왔노라고
그저 그렇게 말하겠지
그렇지, 그렇겠지

내가 이끌 거야

나와 함께 가자

멈춰 서지 말고

끝까지

그렇게 우리

함께

걷자

나의 사랑아

너를 기쁘게 하기 위해 춤출게

형제, 자매들이 춤을 춥니다
보기에 참 흥겹습니다

저는 춤을 못 춥니다
춤은 차마 못 추겠습니다
특히 예배 시간에 춤추는 건 곤란합니다

너를 위해 춤을 출게
너를 기쁘게 하기 위해 춤을 출게
예수님이 촐랑촐랑 춤추시는 모습에 웃음이 납니다

저도 가끔 집에서는 춤을 춥니다
삐뚤빼뚤 엉거주춤 이상한 춤을 춥니다
주아랑, 진아랑 손 붙잡고 춤을 춥니다
아내가 보고 우스꽝스러워 배꼽 잡는 딱 그 춤입니다

아무리 찾아봐도
화려하고 멋있는 춤선은 제 몸에 없습니다

너를 위해 춤을 출게
너를 기쁘게 하기 위해 춤을 출게

예수님 덩실덩실 춤추시는 모습에
저도 덩달아 신이 납니다

다 설명할 수는 없지만
다 이해하기도 어렵지만
예수님을 춤추게 만드는 나
예수님이 기쁨을 이기지 못해 춤추시는
나는 그런 존재구나

나도 춤을 춥니다
예수님이 즐거이 부르시는 사랑 노래에 맞춰
한발 두발 춤을 춥니다

예수님을 위해 춤을 춥니다
예수님 보고 기쁘라고 춤을 춥니다
예수님 함박웃음 지으라고 춤을 춥니다

너의 십자가

십자가를 안으신 예수님
뭐가 귀한 거라고
십자가를 부둥켜안으신 예수님

십자가를 움켜쥐신 예수님
뭐가 그리 귀한 거라고
십자가를 꼬옥 움켜쥐신 예수님

십자가 위로 그 위로 기어가신 예수님
뭐가 그토록 간절하기에
십자가 위로 그 위로 기어이 가셨을까

너의 십자가
너의 십자가
너의 십자가
포기할 수 없는 십자가
네가 져야 할 십자가

속박에서
굴레에서
흑암에서

죄에서

죽음에서

내 자녀를 건져줄 십자가

너의 십자가
너의 십자가
너의 십자가

내가 사랑해야지

너의 십자가

너의 십자가

나의 십자가

이젠 나의 십자가

너를 꼬옥 안고픈

꼭 그만큼

안아야지

움켜쥐어야지

사랑해야지

뭐가 귀한 거라고

뭐가 그리 귀한 거라고

그토록 간절하셨을까

십자가

참된 몽상가

누나,
나는 몽상가 같아
꿈을 꾸고 있는 것 같아
구름 위를 거닐 듯
현실성 없는 사람 같아
나는 몽상가가 아닐까

차가운 벽을 스치고 온 날엔
더 그렇게 느껴져
내 안에 따스한 것들이
이렇게 꿈틀대며 만져지는데
차가운 마음들을 만나면
꼭 꿈처럼 느껴져
나는 몽상가가 아닐까
누나

참 그렇다
그치

꿈꾸는 사람
내 동생

꿈을 그리는 사람
내 동생

꿈꾸게 하는 사람
내 동생

참 좋다
그치

세상에 너 같은 교사도
하나쯤 있어야 하지 않겠니

몽상가
참된 몽상가

밝히소서

간밤에 깜짝 놀라 잠을 깨었습니다

귓가에 파도 소리 같은 성난 함성과
눈가에 시커먼 먹구름이 드리워져
깜짝 놀라 잠을 깼습니다

무엇이 보이느냐
메뚜기떼들이 휘몰아치는 것을 봅니다
아무리 살펴보아도 메뚜기떼입니다

우리 시야에 검게 드리웠으나
파도가 높아졌다 낮아져 이내 바람에 밀려가듯
금세 사라질 것들입니다

또 무엇이 보이느냐
불말과 불병거가 그들을 둘러싼 것을 봅니다
모든 것을 사를 만한 하나님의 군대와 힘을 봅니다

그리곤 무엇이 보이느냐
밝히소서
내 어둔 마음을 밝히소서

모든 입이 주를 시인하고
모든 무릎이 꿇어 경배하게 될
당신을 바라봅니다

더욱 밝히소서
타오르도록 밝히소서

하늘과 땅의
모든 권세를 가지신
통치자
왕 중의 왕
심판의 주
만군의 하나님
창조주 하나님을 봅니다

밝히소서

예수주의자

당신은
이쪽이오 저쪽이오
이편이오 저편이오

딛고 있으면서 딛지 않는 듯
걷고 있으면서 걷지 않는 듯

당신은
누구요

세상에 머물지만 세상에 속하지 않는 듯
세상을 사랑하면서 세상의 것을 사랑하지는 않는 듯

나는 예수주의자요
나는 사랑주의자요

인간의 사상과 이념에 갇히실 분이 아니기에
잘못 말하게 될까 조심스럽지만
당신이 자꾸 누구냐 물으시니
내가 살고 있는 집 주소를 가만히 적어 드리리다

나는 예수주의자요
나는 사랑주의자요

나는 예수께 속했고
예수는 날 소유하셨소

나는 그런 자요

길들여짐

감옥 밖에서
시끄러운 소리가
들려옵니다

시끄러운 소리에
마음이 어지럽고 소란해
글을 읽고 쓰기가 버겁습니다

전쟁의 소리가
들려옵니다
마음이 불타는 듯하여
뛰쳐나가려
움찔움찔 몸이 움직일 때마다
얽어매고 있는 사슬이
버겁게 느껴집니다

전쟁의 광풍을 지나며
감옥 속에서
그는 어찌 견뎠을까요
감옥 안이 갑갑하게만 느껴집니다

거짓이 진실을 덮고
위장이 진실을 가리고
기만이 진실을 속이고
모든 것을 삼키고 빼앗는 것 같아
몹시 견디기 힘든 밤
당신의 말씀을 펼쳤습니다

당신은 미워하십니다
속이는 저울과
공평하지 않은 저울추를 미워하십니다

당신은 기뻐하지 않으십니다
의인이 악인 앞에 굴복하는 것을
기뻐하지 않으십니다

당신의 말씀을
당신의 귓가에 들려 드렸습니다

당신이 찾아와 물으셨습니다
감옥 안이 감옥이냐
감옥 밖이 감옥이냐

당신이 찾아와 또 물으셨습니다
모든 거짓을 벗겨 내도록
바람이 불어야 할 텐데
네가 바람을 모을 수 있느냐

네가 구한 것 같이
이 땅이 새롭게 되고
정결케 되기 위해서는
하늘에서 불이 내려와야 할 텐데
네가 불을 내리는 자냐

아닙니다
결코 그렇지 않습니다
당신만이 하실 수 있습니다

고개가 *끄*덕여지고
시*끄*럽던 마음이
고요해졌습니다

아직 읽어야 할 것이 많고
아직 써야 할 것이 많고
아직 견뎌야 할 과정이 많고
아직은 죽어가는 이들을 돌보고

사랑하고 피고름을 빨아내며
섬기고 기도하는 일이 남았습니다

뜻을 굳건히
정신을 날카롭게 하며
마음은 강하게
당신께 받아 적은 것으로
설계도를 그려야 하는 일이
그 안에서 준비되어야 할 일이 많습니다

말들의 입에
재갈을 물려
온몸을 제어하는 건
순종하게 하려고,
그렇게 길들여져야 하는 일이
제게 남았습니다
당신께 길들여짐이 남았습니다

아프지 않고 사랑할 수는 없으니까

아빠를 올려다보며
아장아장
아빠, 난 뭘 잘해요?

우리 아기는
섬세하게 보고
섬세하게 듣고
섬세하게 느끼고
섬세하게 알아차리고
섬세하게 표현하지

아빠가 뭘 잘한다는 이야기에
왠지 신나서 겅중겅중 다니다가
차가운 비 맞고 추적인 날

바닥을 내려다보며
터벅터벅
아빠, 너무 잘 보여서 힘들어요

아빠, 보지 않게 해주세요
무디게 보고

무디게 듣고
무디게 느끼고
무디게 알아차리고
무디게 표현하게 해주세요

눈을 가려도
귀를 막아도
세포 하나하나가
어둠을 다 느껴요

아프지 않고 사랑할 수는 없으니까
비를 맞고
바람을 맞아

아프지 않고 사랑할 수는 없으니까
눈을 뜨고
귀를 열고
마음을 내어줘
괜찮아

아프지 않고 사랑할 수는 없으니까

아내의 조언

아내에게 말했어요
당신의 동의와 지지가 필요해요

세상에서 가장 따뜻한 점심을 사주며
아내가 말했어요

무거워지지 않기
그저 가볍게 걷기

심각해지지 않기
그저 기쁘게 걷기

하나도 염려하지 않기
모두 맡겨 드리고 걷기

복잡해지지 않기
단순하게 순종하며 걷기

어디에 있든
무슨 일을 만나든
어떤 상황에 처하든

오늘 하루 당신이
"예수님이 보고 싶은가?"
이 물음에 답하기

오늘 하루
어디에서
무엇을 하든지
누굴 만나던지
주님 당신이 보고 싶습니다

그렇게 걷기
끝까지 그렇게
함께 걷기

마음에 대고 아내가 해준 말
가슴에 새겨진 아내의 조언

"나.는.지.금.예.수.님.이.보.고.싶.은.가."

진짜와 가짜

가장 극심한 고통의 순간에
가장 치열한 위기의 순간에
가장 처절한 선택의 순간에
진짜가 나타납니다

가장 극심한 고통의 순간에
가장 치열한 위기의 순간에
가장 처절한 선택의 순간에
가짜가 나타납니다

침몰하는 배 위에서
쥐들이 가장 먼저 모습을 드러냅니다
가짜는 가장 먼저 배를 버립니다

진짜는 제 위치를 고수합니다
진짜는 과감하게 몸을 던집니다
진짜는 분쟁의 소용돌이 속으로
기꺼이 들어가 진리를 외칩니다

혼돈과
분열과

저항과

대립 속에서

진짜와 가짜가 극명하게 가려집니다

진리가 이기게 하소서

위선이 하늘을 덮습니다
기만이 길을 막습니다
거짓이 눈을 가립니다
불의가 춤을 춥니다

진리가 이기게 하소서
진리로 이기게 하소서

위선이 선으로
기만이 정직인 양
거짓이 진실인 듯
불의가 정의인 양 활보합니다

진리가 이기게 하소서
진리로 이기게 하소서

왜곡과 협잡과 날조가
가상의 현실 세계처럼
트루먼쇼의 세트장처럼
펼쳐집니다

진리가 이기게 하소서

진리로 이기게 하소서

복음의 나비 효과

선교사가 건넨 작은 간식 하나가
예수님을 만나는 통로가 되었습니다

예수님과 함께 하는 작은 모임을 통해
선교사들의 가정이 탄생했습니다

우리의 작은 날갯짓이
어떤 의미가 있는지
우리는 알지 못합니다

우리가 딛는 작은 발걸음이
무슨 일을 이루는지
우리는 전혀 알지 못합니다

오늘 하루 주님을 따라
작고 따스한 선물 가슴에 품고
우리의 거리로 나가기 원합니다

차가운 비가 내려 날개가 젖어도
따가운 햇살이 내리쬐어도
바람에 온몸이 휘청거려도

날갯짓을 멈추지 않을 것은
오늘의 날갯짓이 복음의 태풍을 불러올지
우리는 도무지 알지 못하기 때문입니다

우리의 몸짓
우리의 날갯짓
주님이 심어두신 꽃향기를 따라
아주 잠시 동안
이곳저곳을 날아다닐 동안
온 동산에 꽃이 피고 열매를 맺게 하소서
온 세상에 가득하게 하소서

우리는 이깁니다

진다는 말을 빼고
이긴다고 말하기

우리는 이깁니다
절대 이깁니다
결코 이깁니다
완전 이깁니다

진다는 말을 지우고
이긴다고 말하기

우리는 이깁니다
벌써 이깁니다
아직도 이깁니다
한참 전에 이깁니다

진다는 말을 없애고
이긴다고 말하기

우리는 이깁니다
언제나 이깁니다

어디서든 이깁니다
누구든 이깁니다

필승의 믿음
말도 안 되는 이김들을 믿는 마스터키
하나님이 우리와 함께 하십니다
이김이 우리와 함께 하십니다
승리가 우리와 함께 하십니다

우리는 이깁니다

마음대로 쓰소서

마음대로 쓰소서
마음껏 쓰소서

너를 위해 세상을 지을 때
너를 대신해 십자가를 질 때
너를 찾으러 다시 올 때

오직 너와 함께 하기 위해서
오직 너와 사랑하기 위해서
너는 그저 나와 함께해

아버지, 그저 좋습니다
마음대로 쓰소서!
마음껏 쓰소서!

저는 아버지가 하라는 것을 하고
아버지는 제가 할 수 없는 것을 하소서!

마음대로 쓰소서!
마음껏 쓰소서!